Conception graphique : Frédérique Deviller et Père Castor
Textes intégraux. Tous droits réservés pour les auteurs/illustrateurs
et/ou ayants droit que nous n'avons pu joindre.


© Flammarion, 2010
Éditions Flammarion (n° L.01EJDN000491)
87, quai Panhard-et-Levassor, 75647 Paris Cedex 13
www.editions.flammarion.com
Dépôt légal : septembre 2010 – ISBN : 978-2-0812-3022-4
Imprimé en Asie par Toppan – 06/2010
Loi n° 49-956 du 16 juillet 1949 sur les publications destinées à la jeunesse.

# Petites histoires du Père Castor

## à lire le soir en famille

Père Castor ▪ Flammarion

# 1.

## Je veux une petite sœur

Geneviève Noël, illustrations de Hervé Le Goff

Un jour, Maman Souris dit à Mélanie :

– Ma souricette en sucre roux, tu vas bientôt avoir un petit frère.

– J'veux pas un petit frère, proteste Mélanie. Je préfère une petite sœur.

Vite, Maman Souris prend la souricette dans ses bras.

– Le petit frère commence à donner des coups de pied, Mélanie. Ça veut dire qu'il a très envie de jouer au ballon avec toi.

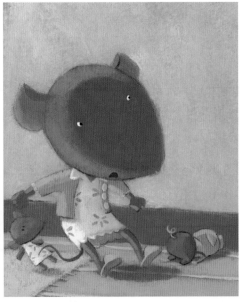

Furieuse, Mélanie grogne :

– Moi, je préfère jouer à la poupée avec une petite sœur qui fera toujours ce que je veux, voilà ! Alors quand le petit frère naîtra, je casserai ses jouets, et il s'en ira en vitesse dans une autre maison.

– Taratata ! s'exclame Maman.

Et Mélanie court s'enfermer dans sa chambre.

Elle fait un dessin sur un papier.

Ça veut dire :

INTERDIT AUX PETITS FRÈRES.

Et elle le colle sur la porte de sa chambre. Comme ça, le petit frère ne pourra pas entrer.

Le temps passe. Et le ventre de Maman Souris devient plus gros qu'un ballon, plus gros qu'un potiron.

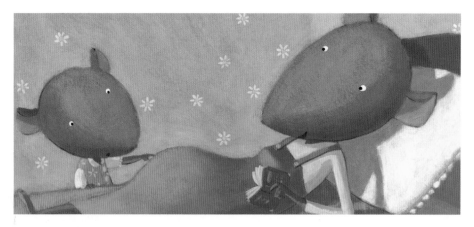

Inquiète, Mélanie dit à sa maman :
– J'espère que le petit frère retire ses chaussures pour te donner des coups de pied.
– Oui, répond Maman Souris en riant.

Mais Mélanie continue à se faire du souci. Elle pense :
« Le petit frère va être plus grand que moi. Et il en profitera pour
me donner plein de coups de pied. »

Alors Mélanie fait pipi dans son lit pour embêter sa maman.
Et elle refuse de manger pour énerver son papa.

Enfin, Alexis arrive à la maison.

Mélanie s'approche du berceau sur la pointe des pieds. Elle serre sa poupée chérie contre son cœur pour se donner du courage, et elle regarde son petit frère.

Ça alors, Alexis est tout petit rikiki ! Chic de chic, il ne pourra pas donner de coups à Mélanie, avec ses pieds minuscules.

Rassurée, Mélanie court dans sa chambre.

Vite, elle enfile sa robe de princesse. Elle met sa couronne qui brille sur la tête.

Puis, elle galope jusqu'au berceau, et prend la minuscule main d'Alexis dans la sienne.

– Regarde-moi, bébé, je suis une vraie princesse avec une couronne. Alors tu vas faire ce que je veux tout le temps. Et quand tu seras grand, tu auras le droit d'être un prince toi aussi.

Le petit frère fait des petits bruits tout doux, et il serre très fort la main de Mélanie.

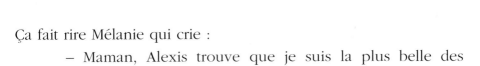

Ça fait rire Mélanie qui crie :

> – Maman, Alexis trouve que je suis la plus belle des princesses. Il est d'accord pour devenir mon serviteur. Alors si ça se trouve, lui et moi, on va super bien s'amuser.

# 2.

# Épaminondas

Odile Weulersse d'après Sarah Cone Bryant,
illustrations de Kersti Chaplet

Le premier chant du coq réveille Épaminondas. Il s'assied sur sa natte, attache son pagne et met un chapeau sur sa tête.

Épaminondas pend à son épaule un léger sac en bandes de coton et ouvre la porte de la hutte en disant :

– Passe une bonne journée, ma mère.

– Salue ta marraine de ma part et tire bien les seaux du puits.

– Ne t'inquiète pas, je serai aussi fort que le général Épaminondas
dont tu m'as donné le nom.

Au lever du jour, oiseaux et animaux reprennent joyeusement
leurs conversations et la brousse se remplit de chants et de cris.
Épaminondas avance pieds nus sur la terre rouge, à travers
les hautes herbes qui fouettent le visage.

À l'heure où le sol commence à brûler la plante des
pieds, il s'arrête à l'ombre d'un grand baobab qui
s'élève près de la première case d'un village.
Là, il prend sa flûte et joue quelques notes.
Sa marraine apparaît sur le seuil de la case.
Sa marraine n'est pas n'importe qui : elle pèse
cent kilos, s'habille avec trois boubous superposés
et porte un turban sur sa tête ronde.
En apercevant le petit garçon, elle sourit de toutes
ses dents, belles et blanches comme l'ivoire.
– Bonjour, Épaminondas. Tu es le bienvenu.

– Bonjour, Marraine Ba, que la paix soit sur toi ! Je te donne le salut de ma mère.

– Je te remercie pour tes bonnes paroles et d'être venu remplir mes jarres.

Épaminondas saisit derrière la case une grande jarre de terre cuite et s'achemine vers le puits du village. Plusieurs femmes font la queue et Épaminondas attend son tour.

Lorsque sa jarre est pleine, il la soulève et la pose sur sa tête. Il revient sept fois, remplit sept grandes jarres pour les sept jours de la semaine et, suant et soufflant, pénètre dans la case.

La lourde marraine, dans sa chaise de repos, lui dit :

– Tu as affronté la chaleur du soleil. Maintenant bois, mange et repose-toi.

Épaminondas se désaltère de lait au miel, croque une galette de mil, quelques dattes et s'allonge sur la natte.

– Maintenant dors, mon enfant, c'est l'heure de la sieste.

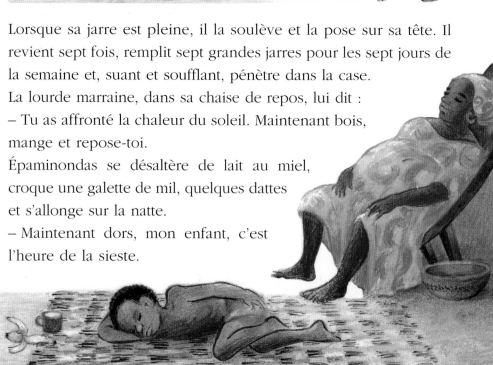

Dans la bonne odeur de sa marraine et le doux bruit de ses soupirs, Épaminondas s'endort. Après la sieste, pour le remercier, Marraine Ba lui donne une friandise appétissante.

– Voilà un morceau de gâteau à la noix de coco que tu ramèneras dans ta maison.

– Je te dis merci et vais le mettre dans mon sac.

– Ce n'est pas une bonne idée, mon garçon, il s'abîmera dans ton sac. Il vaut mieux que tu le tiennes bien serré dans ta main.

En chemin, Épaminondas suit exactement les conseils de sa marraine et serre de toutes ses forces la friandise. Ses cinq petits doigts font de grands trous dans le gâteau, la pâte s'effrite en miettes qui s'égrènent sur le sol et la crème de noix de coco se répand sur sa main en longues traînées poisseuses.

En le voyant arriver, sa mère pose son pilon, met ses mains sur les hanches et écarquille les yeux :

– Épaminondas, que m'apportes-tu là ?

– Un bon gâteau à la noix de coco que m'a donné ma marraine.

Sa mère hoche la tête :

– Épaminondas, Épaminondas ! Qu'as-tu fait du bon sens que je t'avais donné à la naissance ? Pour porter un morceau de gâteau, tu l'enveloppes dans du papier fin, le mets dans ton chapeau et poses le chapeau sur ta tête. As-tu bien compris ?

– Oui, Maman.

La semaine suivante, Épaminondas retourne chez sa marraine. Il fait tellement chaud que les feuilles du baobab pendent tristement et que Marraine Ba n'a pas la force de quitter sa chaise de repos. Épaminondas entre donc et s'incline :

– Bonjour, Marraine Ba.

– Tu es parti de chez toi et tu es venu par cette grande chaleur ! Je t'en remercie, car mes jarres sont vides.

Épaminondas part remplir les sept jarres, puis revient boire du lait au miel et manger des galettes fourrées de dattes.

– Rends-moi service, mon petit, demande la marraine. Évente-moi car il fait si chaud que je n'arrive pas à m'endormir pour la sieste.

Épaminondas prend un rond de paille et l'agite devant le visage parfumé de sa marraine.

Quand elle sourit de bien-être, il se couche à son tour sur une natte.
À son réveil, Marraine Ba lui donne un gros morceau de beurre et
lui dit :

– Fais-y bien attention pendant le voyage.

– Ne t'inquiète pas, Marraine Ba, je suis un garçon très obéissant.
Une fois sorti du village, Épaminondas prend dans sa sacoche le
papier fin qu'il avait emmené, dépose le beurre dans le papier, le
papier dans son chapeau et le chapeau sur sa tête. Et, comme il
fait très, très chaud, le beurre ramollit et se met à fondre. Des petits
ruisseaux jaunes dégoulinent sur les cheveux, sur le front, sur le
bout du nez, et tombent même sur les pieds d'Épaminondas.

En le voyant arriver, sa mère pose son fagot de bois, met ses mains
sur les hanches, écarquille les yeux :

– Épaminondas ! Que m'apportes-tu là ?

– Du beurre bien frais que m'a donné Marraine Ba.

– Épaminondas, Épaminondas ! Qu'as-tu fait du bon sens que je
t'avais donné à la naissance ? Pour transporter du beurre, tu dois
l'envelopper dans de larges feuilles fraîches et, le long du chemin,
le tremper souvent dans l'eau d'un puits ou d'une mare. As-tu bien
compris ?

– Oui, Maman.

La semaine suivante, une violente pluie tombe pendant la nuit, transformant la terre en boue. Pourtant Épaminondas se dépêche, pressé de connaître le cadeau que sa marraine lui offrira.

Dès qu'il arrive au pied du grand baobab, il crie :

– Bonjour, Marraine Ba ! Je te souhaite le bon matin.

La marraine n'a pas fini de s'habiller et sort de la case vêtue d'un sous-boubou blanc. Elle sent bon le parfum haoussa et sourit de ses belles dents blanches.

– Bienvenue, mon garçon ! Tu sais honorer ta marraine par de bonnes paroles. Pendant que tu rempliras mes jarres, j'irai faire une course.

Elle enfile ses sandales et s'éloigne.

Épaminondas va sept fois au puits. Ensuite, il entre dans la case, boit, mange et attend le retour de sa marraine. Il grille de curiosité. Il écoute les bruits du village : coups de pilon, voix qui rient et bavardent, bêlements de chèvres et soudain un aboiement plaintif, tout proche. Alors Marraine Ba apparaît, tenant un petit chien blanc dans ses bras.

– C'est pour toi, dit-elle.

– Merci, merci! s'exclame Épaminondas, je te dis cent fois merci.

– Tu feras attention à ne pas le fatiguer pendant le voyage du retour.

– Sois tranquille.

Dès que le village a disparu derrière les arbres, Épaminondas cueille une grande feuille de bananier dans laquelle il enveloppe le petit chien. Il attache soigneusement le paquet avec des lianes et délicatement le trempe dans l'eau de la première mare rencontrée. Le petit chien boit la tasse, s'étouffe, hoquette, tremblote, son poil est trempé, sa queue pendouille tristement et ses yeux sont gonflés et rougis.

– Épaminondas, que m'apportes-tu là? demande sa mère.

– C'est un petit chien que m'a donné Marraine Ba.

– Épaminondas, Épaminondas! Qu'as-tu fait du bon sens que je t'avais donné à la naissance ? Pour ramener un petit chien, tu le poses par terre, tu prends une longue corde, tu attaches un bout de la corde au cou du chien et tu tires avec l'autre bout… comme ça. As-tu bien compris?

– Oui, Maman.

Une semaine plus tard, le vent balaie la plaine. Quand Épaminondas arrive devant la case de sa marraine, son corps et son visage sont gris de poussière.

– Mon garçon, n'apporte pas dans ma case la poussière de la brousse. Avant de remplir la première jarre, tu te verseras un seau d'eau sur la tête.

Après la sieste, Marraine Ba lui donne de belles galettes.

– Fais bien attention à ce pain qui est encore tout chaud, tout doré, tout croustillant.

Dès qu'il rejoint la brousse, Épaminondas pose les galettes par terre, saisit une liane qui pend à un palmier, l'attache d'un côté aux galettes et de l'autre la serre dans sa main en tirant…, comme ça. Et les galettes traînent dans la poussière, se fendillent, s'écornent, s'émiettent, et deviennent une petite boule sale au bout de la liane. En voyant arriver son fils, la mère écarquille les yeux et s'exclame :

– Épaminondas, que m'apportes-tu là ?

– Du pain tout doré, tout croustillant que m'a donné ma marraine.

– Épaminondas, tu n'as pas de bon sens et tu n'en auras jamais !
Dorénavant, j'irai remplir les jarres chez ta marraine.

La semaine suivante, pendant que le coq chante le lever du jour,
Épaminondas reste couché sur sa natte, la tête à moitié cachée sous
sa couverture.

D'un œil il regarde sa mère qui pose un grand voile sur sa tête et
enfile ses sandales. Elle se dirige vers le four, en sort six pâtés
qu'elle dépose sur le pas de la porte. Avant de partir, elle se
retourne et explique à son fils :

– Je mets les pâtés ici à refroidir. Aussi, quand tu sortiras, tu
feras bien attention en passant dessus. As-tu bien compris ?

Lorsque sa mère a disparu, Épaminondas se lève, attache
son pagne et se dit : « Je vais être très obéissant et faire
bien attention en passant sur les pâtés. »

Avec une extrême attention, Épaminondas pose
fermement un pied, puis l'autre, sur chaque
pâté. Lorsque sa mère découvre les six
pâtés soigneusement écrasés sur le
seuil de la case, sa main alors se
remplit de gifles. Épaminondas
ouvre de grands yeux effrayés.

Au crépuscule, Épaminondas met dans son sac quelques coquillages, s'éloigne de la case et marche longtemps dans la brousse à la lumière des étoiles. Arrivé au sommet d'une colline, il s'incline devant un vieux sorcier, assis sous un fromager.

– Sois le bienvenu, dit le sorcier. Qu'est-ce qui t'amène au milieu de la nuit ?

– Je viens te demander la parole qui dit la vérité et t'offre ces coquillages pour faire un collier.

– Que veux-tu savoir ?

– Je veux savoir pourquoi, alors que je suis toujours très obéissant, je me fais toujours gronder par ma mère.

Et il raconte ses dernières aventures.

Lorsque le sorcier eut entendu les malheurs d'Épaminondas, sa bouche se remplit de rires.

– Qu'as-tu dans la caboche, mon garçon ? À quoi te sert d'avoir des yeux sur le devant de la figure si tu ne sais pas utiliser ton bon sens ? Le rusé renard revient-il dans le poulailler dont il a déjà mangé les poules ?

Et comme Épaminondas le dévisage d'un air stupéfait, il ajoute :

– Ne cherche plus à obéir sans réfléchir. C'est à chacun de trouver comment il doit agir. Maintenant va en paix, le cœur tranquille et l'esprit éveillé.

# 3.

# La boîte à soleil

Illustrations d'Albertine Deletaille

Regardez donc Lise.

Elle essaie d'attraper du soleil dans une boîte.

Ça y est. La boîte est pleine. Lise la ferme bien vite.

Ce sera amusant, la nuit, de lâcher le soleil dans la chambre, pour faire des petites lumières au plafond et sur les murs…

– Lise, que fais-tu? lui demande François son grand frère.

– Je ne peux pas te le dire… c'est ton cadeau d'anniversaire.

– Je saurai bien deviner ce que tu as pris dans cette boîte.

– C'est un trèfle à quatre feuilles ?

– Non !

– Une bête à bon Dieu ?

– Non !

– Un papillon ?

– Non !

– Des graines de pensée… ou de coquelicot ?

– Non ! Non ! et non !

– Une fraise ? Une groseille ? Une mûre ?

– Non ! Non ! et encore non !

– Un scarabée doré ?

– Pas du tout !

– Une grosse chenille, que je pourrai mettre dans un bocal pour voir comment elle devient papillon ?

– Non! ce n'est pas cela.

– C'est vivant?

– Je ne sais pas.

– Ça se mange?

– Oh! non.

– C'est pour quoi faire?

– Pour faire tout ce que tu voudras : si tu en mets sur du linge mouillé, ça le fera sécher.

Si tu en mets sur les fleurs, ça les fera ouvrir.

Si tu en mets sur les bras et les jambes, ils deviendront bruns.
Si tu en mets sur des cerises vertes, elles deviendront rouges, et si tu en mets sur une goutte de rosée, tu verras toutes les couleurs qui existent.

– Eh bien ! c'est un drôle de produit. Je ne cherche plus. C'est trop difficile… donne-le-moi, ton cadeau.
– Je te le donnerai ce soir, quand la lumière sera éteinte.

Lise serre la boîte bien fort dans sa petite main.

Elle ne veut pas la lâcher…
même pour donner à manger à son chat,
même pour arroser son jardin,
même pour jouer dans le sable avec son râteau.

Il faut que François la débarbouille, lui lave les genoux, boutonne
sa chemise de nuit, lui donne à boire et à manger.

François la couche et la borde. Lise éteint la lumière. Et voilà qu'elle se met à crier :
– François ! Viens vite ! J'ai peur ! C'est vivant ! Ça remue… pourtant, c'est du soleil que j'ai pris dans ma boîte.

– Ce n'est pas possible ! dit François.

– Mais si, regarde : on voit la lumière par la fente.

– Oh ! oui, c'est drôle.

Alors François ouvre la boîte :

– Mais c'est un ver luisant !

– C'est une bête ?

– Oui, elle a comme une petite lampe sous le ventre. Elle a dû tomber dans ta boîte ouverte quand tu étais dans le jardin. Tu sais, Lise, je suis content de ton cadeau. On va mettre le ver luisant sur les grandes herbes qui poussent devant la fenêtre. Il va pondre des œufs partout. Et quand ses petits auront des petits… chaque nuit notre jardin sera illuminé comme le ciel plein d'étoiles.

# 4.

## Imagine...

Hubert Ben Kemoun, illustrations de Jean-François Dumont

– Benjamin, je vais faire quelques courses.

– Tu m'emmènes ?

– Voyons, tu regardes la télé, et je ne t'abandonne que dix minutes.

– Je voudrais venir avec toi !

– Mais Benjamin, pour si peu de temps, tu peux bien rester tout seul !

– Oui, bien sûr, je peux rester tout seul, mais je préférerais que tu m'emmènes !

– Tu as peur ?

– Oh non ! c'est pas ça. Évidemment, je suis assez grand pour rester tout seul, mais… imagine…

Imagine que pendant ton absence, au moment des publicités dans le film, je veuille me servir tout seul des bonbons, dans la boîte en fer de la cuisine. Alors je grimpe sur le tabouret pour attraper la boîte dans le placard.

Imagine qu'en attrapant la boîte, je glisse du tabouret, et qu'en tombant sur le carrelage je me blesse, au coude, par exemple. Oh ! ce n'est pas bien grave, mais je saigne quand même un peu.

Alors imagine que pour nettoyer le sang, je file à la salle de bains. Je laisse couler l'eau, mais j'oublie de refermer le robinet, comme tu me le reproches toujours.

Le lavabo déborde pendant que je suis retourné voir la suite de mon film. Très vite, il y a de l'eau partout, bientôt ça dégouline chez les voisins du dessous.

Imagine que l'eau monte jusqu'aux prises électriques. Comme Papa me l'a expliqué, cela coupe le courant. Tout s'éteint partout dans l'appartement. La télé aussi. Tout ! J'ai un peu peur.

Imagine que j'aille chercher une bougie et un briquet, pour y voir plus clair. Tu sais bien que la lampe de poche ne marche pas ! Avec la bougie allumée, je glisse dans l'eau.

**Imagine** que la flamme tombe justement sur le rideau, à côté du porte-journaux. Le feu ronge les tentures et les revues, les livres de la bibliothèque, les pieds des fauteuils et de la table, le tapis de Chine, auquel il faut toujours faire très attention, le bureau de Papa, son ordinateur et ses papiers importants. Tout ! Le feu atteint aussi la télé, elle explose. Il y a de la fumée partout. J'ai encore plus peur.

**Imagine** que pour appeler à l'aide, j'ouvre la fenêtre. Un lambeau de rideau, en feu, s'envole dans la rue. Et **imagine** que dans la rue, juste à ce moment-là, un camion-citerne soit garé devant la station-service. Le lambeau tombe sur une petite flaque d'essence qui embrase la citerne et, très vite, toute la station-service.

**Imagine** que le vent se lève, et pousse l'incendie sur l'usine d'allumettes en face. En moins de temps qu'il ne m'en faut pour te le raconter, **imagine** qu'à son tour, elle prenne feu aussitôt.

**Imagine** que le feu dépasse le terrain vague, qu'il atteigne la voie ferrée, tu sais bien, là où tu m'as interdit d'aller jouer. Et que justement, à ce moment-là, passe un long train de marchandises, chargé de gros troncs d'arbres, et de plein de produits très dangereux, que je n'arrive même pas à imaginer.

**Imagine** que le train, complètement en feu, continue de rouler, et que sur son passage, toute la ville s'enflamme. Ah oui ! parce que j'ai oublié de te dire, en plus des produits dangereux, le train de marchandises est bourré de produits explosifs. Tout est en feu, et la caserne des pompiers aussi, bien sûr !

**Tu imagines ?** Les avions qui prennent feu sur l'aéroport, les voitures dans les parkings, les navires amarrés dans le port… Tout ! Toute la ville, je te dis !

**Imagine**, Maman ! Un incendie gigantesque ! Mais ce n'est pas fini. Il y a la campagne aussi, avec les meules de foin, et les granges et les fermes. Et puis les forêts, c'est que ça brûle drôlement bien, les forêts !

Imagine que le vent continue de souffler en tourbillonnant de plus belle. De l'autre côté des forêts, il y a d'autres villes, d'autres stations-service, et d'autres usines de pétrole, d'autres aéroports et d'autres parkings remplis de voitures.

**Imagine** que toute la terre soit en feu. Partout! Il fait tellement chaud, que les glaciers du pôle Nord et du pôle Sud se mettent à fondre comme des glaçons dans un verre de grenadine. Alors, l'eau des mers et des océans monte à toute allure.

**Imagine**... bientôt il n'y a plus de villes, plus de forêts, plus de campagne, plus rien que de l'eau. Bien sûr, il n'y a plus de feu, c'est normal, avec toute cette eau.

Mais le monde entier est noyé. Pas nous, puisqu'on est au quatorzième étage, mais quand même, c'est juste. Tu imagines ? C'est la fin du monde ! Une vraie catastrophe, Maman !

– Mais Benjamin…

– Non, non, Maman, ne t'inquiète pas, je ferai attention en attrapant les bonbons. C'est promis ! Seulement, voilà, si tu me laisses seul, ça peut provoquer la fin du monde ! Tu ne pourras pas me dire que je ne t'ai pas prévenue.

– Benjamin, moi aussi il faut que je te prévienne.

– Quoi, Maman ?

– Pas la peine de grimper attraper la boîte de bonbons… Elle est vide. C'est aussi pour cela, les courses !

– Vide ?

– Complètement vide !

# 5.

# Le petit éléphant têtu

Un conte d'Afrique collecté et adapté par Albena Ivanovitch-Lair,
illustrations de Vanessa Gautier

Il était une fois un tout jeune éléphant qui vivait en Afrique. Il était têtu et aimait n'en faire qu'à sa tête.

Un jour toute la famille éléphant décida de faire une longue promenade dans la brousse.

– En route ! annonça le papa éléphant.

– Je ne veux pas aller me promener ! répondit le petit éléphant.

– Nous sommes tous prêts, viens avec nous ! lui dit sa maman.

Le petit éléphant secoua la tête :

– Non et non, j'ai pas envie.

– Allez viens, arrête de bouder ! insistèrent son frère et sa sœur.

– NON, NON ET NON, je veux rester ici !!!

– Eh bien, dit Papa éléphant, puisque c'est comme ça nous partirons sans toi.

Et toute la famille éléphant partit, les parents devant, les enfants derrière.

Confortablement installé à l'ombre d'un grand acacia, le petit éléphant les entendit s'éloigner dans la chaleur du matin.

« Je suis bien content de rester ici, se dit-il. J'ai horreur de marcher des heures sous le soleil. »

Le temps passa. Le petit éléphant commença à s'ennuyer et à regretter de ne pas avoir suivi sa famille.

«Ils m'ont tous abandonné, gémit-il. Ils auraient pu m'attendre! Puisque c'est comme ça, je ne veux plus être un éléphant…»

Il se roula dans l'herbe, les quatre pattes en l'air, en poussant des cris de fureur, pour imiter les petits lionceaux qu'il avait vus la veille dans la grande prairie.

Une gazelle arriva en sautillant sur ses longues pattes fines. En voyant l'éléphanteau, elle prit peur et se mit à courir, en faisant des grands sauts élégants.

«Ah, voilà une bonne idée!» se dit le petit éléphant.

Et il commença à sauter pour imiter la gracieuse gazelle.

Mais il s'emmêla la trompe et les pattes, et s'arrêta tout essoufflé.

«Oh, ce n'est pas amusant d'être une gazelle, c'est même fatigant!» se dit-il, en secouant ses grandes oreilles pour se rafraîchir.

Tout à coup, l'œil du petit éléphant fut attiré par un lézard vert qui glissait lentement le long d'une liane.

«Tiens, c'est une idée, se dit le petit éléphant, je vais faire du toboggan comme lui!»

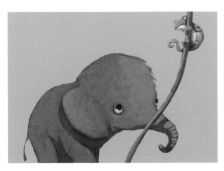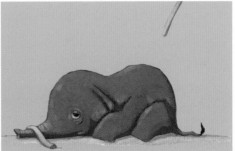

Aussitôt, il attrapa une grosse liane avec sa trompe mais sous son poids celle-ci se rompit comme un brin d'herbe. Et le petit éléphant se retrouva par terre la trompe dans la poussière.

«Oh, ce n'est pas du tout amusant d'être un lézard!» se dit-il, en se frottant le derrière.

Le petit éléphant entendit le cri des singes qui se poursuivaient dans la clairière.

«Quelle bonne idée! se dit-il. Je vais jouer à cache-cache comme eux!»
Et il se précipita pour les rejoindre.
En une minute, les singes l'avaient encerclé de tous les côtés. Ils lui tiraient la queue et les oreilles, ils glissaient sur sa trompe, ils montaient sur son dos.
Mais le petit éléphant ne put en attraper aucun.

«Je ne veux pas être un singe ! se dit-il. Ils sont vraiment trop bruyants ! »

Et il se sauva en se bouchant les oreilles pour ne plus entendre leurs rires moqueurs.

Un perroquet au plumage multicolore passa dans la lumière du soleil.

– Je veux faire comme toi ! s'écria le petit éléphant. Apprends-moi à voler !

– Rien de plus facile ! répondit le perroquet.

Et il montra à son nouvel ami comment voler de branche en branche.

– À ton tour, maintenant !

Le petit éléphant fit un saut, puis un autre et encore un autre. Mais pour tout résultat, il se tordit deux pattes et retomba dans l'herbe la tête la première.

 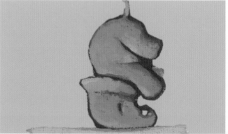

– Ne t'inquiète pas, suis-moi ! dit le perroquet. Je vais te montrer l'endroit où prendre ton envol.

Le perroquet s'envola jusqu'au sommet d'une petite colline.
Le petit éléphant le suivit péniblement en boitillant.
– Fais comme moi, élance-toi, conseilla le perroquet.
Et l'oiseau descendit en planant vers la rivière qui coulait en bas.

Le petit éléphant respira profondément, prit son élan et sauta dans le vide en lançant ses pattes devant lui.
Heureusement la rivière était peu profonde. Le petit éléphant atterrit dans la boue sans trop se faire de mal. Il remonta furieux sur la rive, le poil mouillé et avec une énorme bosse qui grossissait sur son front.
C'est alors qu'il entendit un bruit derrière lui.

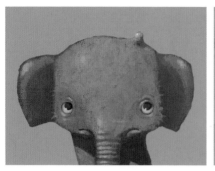 

Le petit éléphant se retourna et aperçut toute sa famille qui buvait un peu plus loin dans la rivière. Ses parents le regardaient avec étonnement. Son frère et sa sœur se cachaient derrière leur trompe pour rire.

Le petit éléphant baissa la tête et s'approcha d'eux.

– S'il vous plaît, dit-il d'une toute petite voix, est-ce que je peux me promener avec vous ?

– Bien sûr, mon garçon, lui dit son papa.

– Viens marcher près de moi, lui dit sa maman.

Après s'être tous rafraîchis dans la rivière, parents et enfants se remirent en route.

Et c'est ainsi que la famille éléphant au grand complet continua sa promenade. Le petit éléphant marchait devant tout heureux.

# 6.

## Grand-père farceur

Laurence Delaby, illustrations de Lucile Butel

Petit-Louis a un grand-père qui raconte toujours des blagues.
– Chut, Petit-Louis, ne le dis à personne, c'est moi qui fais les nuages du ciel. Je m'assois près de la fenêtre avec ma pipe et **pouf ! pouf !** les nuages s'envolent dans le ciel. Et quand je veux qu'il y ait un beau ciel bleu, tout bleu, je mets ma pipe dans ma poche.

– Bravo ! dit Petit-Louis, arrête-toi de fumer, mets vite ta pipe dans ta poche et donne-nous un ciel bleu. J'ai envie de me promener avec toi.

Et voilà Petit-Louis et Grand-père qui mettent leurs manteaux… et qui vont se promener sous le soleil au milieu des fleurs du jardin. Mais le ciel se couvre d'un gros nuage. Et la pluie tombe, tombe.

– Eh bien, Grand-père, et ta pipe ?

– Ah, j'ai dû oublier un nuage dans ma poche. Il s'est sauvé tout seul et la pluie est tombée.

– Oh, Grand-père, quelle bonne blague !

– Non, non, personne ne le sait, mais je suis un grand magicien.

– Alors, dit Petit-Louis, si tu es magicien, trouve-nous un parapluie.

– Rien de plus facile. Ce sera même un parapluie magique, un parapluie qui nous transformera en bison d'Amérique.

Grand-père ôte son pardessus. Il le pose sur sa tête. Les manches de chaque côté font comme de longues cornes. Grand-père passe ses mains dedans et les agite.

– Hon ! Hon ! je suis le grand bison d'Amérique ! Glisse-toi sous mon pardessus, et tiens bien mon chandail par derrière.
Et au galop sous la pluie !

Mais Grand-père et Petit-Louis, aveuglés sous leur manteau, ont éclaboussé le gardien du square.
– Eh, dites donc ! vous ne pouvez pas faire attention ?
– Oh, excusez-moi, Monsieur, je vous demande pardon.

Et le grand bison d'Amérique redevient un Grand-père et un Petit-Louis qui se hâtent de rentrer à la maison.

– Dis donc, Grand-père, il a eu drôlement peur du gardien, ton bison ?

– Oh, si j'avais voulu, le gardien ne m'aurait pas vu.

– Comment ça ? dit Petit-Louis.

– Je me serais rendu invisible.

– C'est encore une blague ? Fais voir !

– Bon, dit Grand-père. Ferme les yeux et compte jusqu'à cinq.

Petit-Louis ferme les yeux :
– Un, deux, trois, quatre, cinq…

Petit-Louis ouvre les yeux.
Grand-père a disparu !

– Maman, tu n'as pas vu Grand-père ?

Maman ouvre la porte du placard :

– Oh ! Grand-père, comme vous m'avez fait peur !

– Excuse-moi, je jouais avec Petit-Louis.

– Voyons, Grand-père, ce n'est plus de votre âge ! Soyez donc un peu sérieux !

– Dis donc, Grand-père, on joue encore aux magiciens ?

# 7.

# Benjamin a une petite sœur

Jacqueline Girardon, illustrations de Catherine Mondoloni

La petite Reine Radirose vient de faire son entrée dans le monde des lapins. Elle est dans les bras de Maman Radirose, sous les yeux attendris de Papa Radirose.

Benjamin regarde le photographe fixer le tableau pour l'éternité…
Cela fera une belle photo à coller dans l'album de famille !

Avec une plume de canari qu'il trempe dans un encrier, Benjamin s'applique à écrire sur de petits cartons roses :

*Monsieur et madame Radirose et leur fils Benjamin ont la joie de vous annoncer la naissance de Reine.*
*Terrier des lapins. Colline-aux-Fraises.*

Benjamin a écrit beaucoup de petits cartons. Il en a mal à la patte : elle est toute crispée.

Benjamin ne comprend pas qu'on fasse tant d'histoires et de tintamarre autour d'une « petite chose » qui ne fait que dormir ou pleurer et qui n'est même pas jolie.

Benjamin glisse les cartons roses dans de petites enveloppes roses. Il écrit les adresses et colle les timbres. C'est le pigeon facteur qui les distribue.

Tous les voisins viennent voir la dernière née. Ils complimentent
Papa et Maman Radirose. Ils trouvent la petite Radirose ravissante,
et lui offrent une pile de cadeaux. Il y a des petites robes de toutes
les couleurs, des chaussons, des bonnets et même des jouets en
peluche.

Seul dans son coin, Benjamin regarde tout cela sans rien dire.
Benjamin a dû donner son lit où il se sentait si bien, couché en
boule.

«Tu es trop grand pour ce petit lit. Il te faut un grand lit», a dit Papa.
Toute la journée, ils donnent à Reine des biberons, la bercent quand
elle pleure, changent sa couche, puis la recouchent.

Ils la baignent, la savonnent et la frictionnent. Ils la pomponnent et la bichonnent, l'habillent et la déshabillent. Ils la câlinent en l'appelant « petite coquine ».

Benjamin n'a plus rien. Il n'a plus sa maman pour lui, ni même son papa. Maman et Papa lapin sont pour Reine.

Comme la vie est changée pour Benjamin !

Benjamin ne reconnaît plus son terrier. Sa chambre est maintenant tout au fond du couloir.

« Comme tu as de la chance, mon Benjamin, lui a dit Maman lapin, te voilà dans une chambre bien à toi ! »

Tout seul dans la chambre silencieuse, Benjamin a du mal à s'endormir. Un vilain loup est sûrement caché dans le noir. Benjamin n'ose pas sortir de son lit pour aller voir.

Le lendemain matin, Grand-mère lapin arrive, tout essoufflée, portant un gros paquet.

« C'est sûrement encore un cadeau pour Reine ! se dit Benjamin. Peut-être un énorme lapin en peluche, le plus gros du magasin ! »

Grand-mère lapin va tout de suite voir Reine.

– Comme elle est mignonne, dit-elle. Elle ressemble à Benjamin bébé. Cela me rappelle le bon vieux temps.

Puis Grand-mère va trouver Benjamin.

– Ce cadeau est pour toi, Benjamin, dit-elle. Reine n'a besoin de rien. Une si « petite chose » ne pense qu'à boire et à dormir !

Benjamin n'en revient pas et saute au cou de Grand-mère lapin.

– Attends jusqu'à demain matin pour ouvrir le paquet, dit Grand-mère, tu auras une belle surprise !

Grand-mère lapin est venue pour aider. Elle balaie le terrier. Elle fait la vaisselle. Elle lave le linge. Elle cuisine des plats délicieux…

Grand-mère lapin partage la chambre de Benjamin.

– Il faut allumer une bougie, dit Grand-mère, ainsi nous verrons mieux ce vilain loup.

Ils regardent dans le placard… et sous les lits. Pas de vilain loup…

Pourtant Benjamin entend des bruits. C'est sûrement le hibou fantôme qui rôde et hulule autour du terrier.

– J'ai peur ! s'écrie Benjamin.

Par la toute petite lucarne de la chambre, Grand-mère lapin et Benjamin regardent la nuit. Pas de hibou ! Pas de fantôme !

Mais ils voient la neige qui s'est mise à tomber, recouvrant d'un châle blanc toute la Colline-aux-Fraises.

– J'aime la neige ! dit Benjamin qui se couche tout heureux et s'endort aussitôt.

Et la neige tombe… tombe… tombe à gros flocons durant toute la nuit…

Au matin, quand monsieur Radirose veut sortir du terrier, impossible d'ouvrir la porte ! Elle est bloquée par une épaisse couche de neige. Madame Radirose s'inquiète. Son placard à provisions est vide et Reine a besoin de lait.

Sans rien dire, Benjamin court dans sa chambre. Il se faufile par la toute petite lucarne. Hop ! D'un bond, il est dehors.

À chaque pas, Benjamin s'enfonce dans la neige. Mais il avance bravement et arrive bientôt à la ferme de monsieur Tirbouchonet.

Dans les fermes, les pelles ne manquent pas !

Monsieur Tirbouchonet en met deux sur son épaule et en avant jusqu'au terrier des Radirose.

Benjamin et monsieur Tirbouchonet se mettent aussitôt à l'ouvrage. À grandes pelletées, ils dégagent l'entrée du terrier. Un dernier effort et la porte s'ouvre…

– Bravo, Benjamin ! Tu es le lapin le plus débrouillard que je connaisse ! le félicite Papa lapin.

Pendant que monsieur Radirose remercie monsieur Tirbouchonet, Grand-mère et Maman lapin serrent très fort Benjamin sur leur cœur. À tous les quatre, ils ont vite fait de tracer un petit chemin dans la neige. Papa peut enfin se rendre à son travail et Maman aller faire les courses.

– Benjamin ! appelle Grand-mère lapin. Je crois que le moment est venu de découvrir ton cadeau.

Vite ! Vite ! Benjamin défait le gros paquet :

– Une luge ! C'est vraiment une belle surprise ! Merci Grand-mère !

Benjamin enfile ses bottes, sa grosse veste bien chaude, son bonnet et ses moufles.

Et le voilà dehors. Tirant sa luge, il grimpe tout en haut de la Colline-aux-Fraises.

Les trois petits Tirbouchonet sont déjà là avec leurs luges. Les luges s'élancent sur la piste. Les quatre amis font des courses endiablées. Que de rires, de glissades et de galipettes !

Ce soir-là, avant d'aller se coucher, Benjamin contemple longuement sa petite sœur.
– Bonjour Reine, ma petite reine, c'est Benjamin, ton grand frère, qui te parle. Tu es jolie, tu sais. Bientôt, je te prêterai ma luge et je t'apprendrai à glisser sur la neige. Tu n'auras pas peur. Je serai là pour te protéger.

Maintenant Benjamin n'a plus peur ni des loups ni des oiseaux fantômes. Ils se sont enfouis dans la neige.

# 8.

# La petite fille
# qui voulait voir le désert

Un conte d'Australie raconté par Annie Langlois,
illustrations de Madeleine Brunelet

Tinnkiri était une petite fille pleine de vie, qui habitait dans un
village du désert australien. Chaque jour, elle voyait le soleil
apparaître derrière la colline et elle demandait à sa mère :
– Maman, qu'y a-t-il derrière cette colline ?

Et chaque jour sa mère lui répondait :

– Derrière la colline, il y a le Grand Désert, un endroit qui n'est pas fait pour les petites filles. Seuls les adultes peuvent s'y aventurer car c'est un monde dangereux pour qui ne connaît pas ses secrets. Un jour, tu pourras toi aussi aller au-delà de la colline. Mais avant, il te faut grandir et écouter les Anciens : ils ont beaucoup de choses à t'apprendre.

Mais Tinnkiri n'écoutait jamais personne. Elle préférait jouer avec ses amies et n'en faire qu'à sa tête.

Un jour elle s'aventura en dehors du village, mais sa mère la rattrapa et la ramena fermement par le bras en lui disant :

– Ne t'éloigne jamais plus, c'est beaucoup trop dangereux. Je vais te dire ce qu'il y a derrière la colline : il y a Pangkalangou, l'ogre à la peau de lézard, qui dévore les enfants perdus.

Malgré les avertissements de sa mère, Tinnkiri voulait à tout prix aller derrière la colline. Elle proposa à ses amies Yelpi et Mima de tenter l'aventure avec elle. Les deux fillettes se montrèrent peu enthousiastes à son idée.

        – Nous sommes encore trop jeunes, dit la sage Yelpi, nous ne saurons pas nous débrouiller seules dans le désert. Et puis il y a Pangkalangou.

        – C'est vrai, poursuivit Mima. Il a déjà enlevé des enfants et les a mangés tout crus.

        – Vous n'êtes que deux froussardes ! se moqua Tinnkiri. L'ogre à la peau de lézard ? Ce n'est qu'une histoire pour faire peur aux enfants ! Puisque c'est comme ça, j'irai toute seule !

L'occasion se présenta quelques jours plus tard. Toutes les femmes du village étaient parties ramasser des oignons sauvages et les hommes étaient occupés à dresser des chevaux. Tinnkiri en profita pour se mettre en marche.

– Où vas-tu de si bon matin ? lui demanda le vieux Tjilpi, qui était assis sous un arbre.

– À la crique ! mentit Tinnkiri.

– Ne va pas plus loin ! lui cria le vieil homme.

Tinnkiri avait maintenant dépassé la crique et se trouvait face à la colline. Une énorme joie envahit son cœur :

« Ça y est, se dit-elle fièrement. Dans quelques minutes, je serai en haut de cette colline, et je verrai enfin ce qu'il y a derrière. »

Et elle s'élança, légère, à l'assaut du mont.

Une volée d'oiseaux du désert salua son arrivée au sommet. Et ce qu'elle découvrit alors l'émerveilla : un horizon sans fin où se détachaient, ici et là, la silhouette d'un arbre ou un tapis de fleurs rouges. Elle s'assit et regarda longtemps ce paysage extraordinaire. Le silence fut soudain interrompu par un bruit étrange qui venait du ventre de Tinnkiri. Elle sourit : «J'ai faim et je n'ai pas pensé à emporter de la nourriture. Mais ce n'est pas grave ! En descendant de l'autre côté, je trouverai bien de quoi manger !»

Elle dévala la pente et, arrivée dans le bush, elle se mit à la recherche de bananes et de tomates sauvages. Mais de ce côté de la colline, aucun arbre fruitier ne poussait.

Le soleil était maintenant à son zénith. Tinnkiri, exténuée par la faim et la soif, décida de se reposer à l'ombre d'un acacia.

– Bonjour petite fille, lui dit un oiseau perché sur une branche. Que fais-tu ici ?

– Je suis Tinnkiri et je suis venue découvrir ce qu'il y a derrière la colline. Et toi, qui es-tu ?

– Je suis Nyii-Nyii, le pinson zébré, et j'habite dans cet arbre.

– Nyii-Nyii, sais-tu où je pourrais trouver à boire et à manger ?

– Mais ici même ! J'ai souvent vu les femmes de ton village écraser les graines de mon arbre pour obtenir de la farine avec laquelle elles faisaient des galettes.

– Hélas ! soupira Tinnkiri. Je ne sais pas faire cela. Je n'ai pas encore appris.

Le soleil déclinait à l'horizon quand Tinnkiri se remit à marcher. Soudain, quelque chose bougea sous ses pieds. Un gros lézard venait de slalomer entre ses jambes. Elle courut après lui et plongea pour l'attraper. Mais le lézard, plus rapide, disparut dans son trou.

« Zut ! pesta Tinnkiri. Comme j'aurais aimé faire rôtir ce gros lézard ! Papa, lui, aurait su comment l'attraper et Maman aurait su où trouver de l'eau. Mais moi, je ne sais rien ! »
En pensant à ses parents, la petite fille s'effondra en larmes. Puis elle se releva et dit tout haut pour se donner du courage :
– Je vais retourner au village et m'appliquer à apprendre toutes ces choses.

Tinnkiri se mit en route, mais très vite elle dut se rendre à l'évidence : elle était bel et bien perdue, et la nuit commençait à tomber. Elle se réfugia sous un arbre et elle essaya de faire un feu en frottant un morceau de bois sur une écorce d'acacia, mais n'y réussit pas.
« Je l'ai vu faire tant de fois, se dit-elle. Pourquoi je n'y arrive pas ? »
Alors elle comprit qu'elle allait passer la nuit sans lumière ni chaleur.

Un cri soudain déchira la nuit.

« Riri ! Riri ! Riri ! » semblait dire le vent.

– Quelqu'un m'appelle ! J'y vais, s'exclama Tinnkiri, reprenant espoir.

Des lumières apparurent à l'horizon.

Mais alors, les paroles de Mima lui revinrent à l'esprit :
« La ruse favorite de l'ogre Pangkalangou est de faire de grands feux pour attirer les enfants. »

Terrorisée, Tinnkiri n'osa plus bouger. Elle se blottit contre l'arbre et tenta de rester éveillée pour ne pas être emportée par l'ogre. Mais au petit matin, épuisée, elle finit par s'endormir.

Dans son sommeil, Tinnkiri entendit une voix qui disait :
– Elle est ici ! Venez vite !

On aurait dit celle de son père. Elle ouvrit doucement les yeux. Sa mère était penchée vers elle.
– Maman ! Maman ! C'est vraiment toi ? Comment m'avez-vous retrouvée ?

– Tjilpi t'avait vue aller vers la crique et de là, ton père a suivi tes traces. Nous avons allumé de grands feux dans l'espoir qu'ils te guident vers nous. Nous avons crié ton nom dans le vent, mais tu n'as pas répondu.

Tinnkiri se blottit contre sa mère tendrement.

– Tu as froid, constata celle-ci. Je vais faire du feu pour te réchauffer.

– Et tu dois avoir faim, ajouta son père. Je vais chercher quelque chose à manger.

Assise entre ses parents, Tinnkiri promit de ne plus jamais aller seule au-delà de la colline. Elle attendrait d'avoir appris tout ce que les Anciens avaient à lui enseigner.

# 9.

# La plus mignonne des petites souris

Texte et illustrations d'Étienne Morel

Voici la maison de la famille Rongetout.
Voici la fille de monsieur et madame Rongetout : la plus mignonne des petites souris. Elle sait danser. Elle sait tricoter. Elle sait faire des gâteaux. Elle sait jouer du piano.

– Il est temps de la marier, dit madame Rongetout.

– Il est temps de la marier, dit monsieur Rongetout. Mais elle n'épousera que le plus puissant personnage du monde, car c'est la plus mignonne des petites souris. Et personne d'autre n'est digne d'elle.

Monsieur Rongetout décide de marier sa fille avec le soleil.

– C'est le plus puissant personnage du monde. C'est lui qui chauffe la terre et mûrit les grains de blé. Et les grains de blé sont si bons !

Monsieur Rongetout fait ses préparatifs de départ. Il veut aller voir le soleil pour lui demander d'épouser sa fille, la plus mignonne des petites souris.

Voyez la belle redingote. Il s'installe d'abord dans un train. Mais les trains ne peuvent pas aller jusqu'au soleil, n'est-ce pas ?
Alors il choisit un hélicoptère.

« Voilà tout à fait ce qu'il me faut », pense monsieur Rongetout.
Et monsieur Rongetout monte, monte, monte… et il arrive au palais du soleil.
Le soleil vient de se lever ; il reçoit monsieur Rongetout en robe de chambre.

– Voulez-vous épouser ma fille? demande monsieur Rongetout. C'est la plus mignonne des petites souris : vous seul êtes digne d'elle, puisque vous êtes le plus puissant personnage du monde.

– Tu te trompes, dit le soleil. Ce nuage qui passe là est plus puissant que moi, puisque je ne peux pas l'empêcher de me cacher la terre.

– Alors vous n'êtes pas celui qu'il faut à ma fille, dit monsieur Rongetout.

Et il descend, descend, descend.

– Voulez-vous épouser ma fille? demande monsieur Rongetout au nuage. C'est la plus mignonne des petites souris : vous seul êtes digne d'elle, puisque vous êtes plus puissant que le soleil, qui est le plus puissant personnage du monde. C'est lui-même qui vient de me le dire.

– Hélas! le soleil s'est trompé, répond le nuage. Le vent qui souffle est plus puissant que moi, puisque je ne peux pas l'empêcher de m'emmener où il veut.

– Alors, vous n'êtes pas celui qu'il faut à ma fille, dit monsieur Rongetout. Je vais aller voir ce vent…

Et voici, sur une colline, le moulin du vent. Quand ce moulin-là tourne ses ailes, quel courant d'air !…

– Voulez-vous épouser ma fille ? demande monsieur Rongetout. C'est la plus mignonne des petites souris : vous seul êtes digne d'elle, puisque vous êtes plus puissant que le nuage, qui est plus puissant que le soleil, qui est le plus puissant personnage du monde. C'est le nuage lui-même qui vient de me le dire.

– Hélas ! le nuage s'est trompé, répond le vent. Cette vieille tour que tu vois là-bas est plus puissante que moi, puisque, depuis des années, je souffle dessus sans avoir pu l'abattre.

– Alors vous n'êtes pas celui qu'il faut à ma fille, dit monsieur Rongetout. Je vais aller voir cette tour…

Monsieur Rongetout est bien fatigué. Il va tout de même trouver la vieille tour.

– Voulez-vous épouser ma fille ? demande monsieur Rongetout. C'est la plus mignonne des petites souris : vous seule êtes digne d'elle, puisque vous êtes plus puissante que le vent, qui est plus puissant que le nuage, qui est plus puissant que le soleil, qui est le plus puissant personnage du monde. C'est le vent lui-même qui vient de me le dire.

– Hélas ! le vent s'est trompé, répond la tour. Le souriceau qui ronge ma plus grosse poutre est plus puissant que moi puisque, quand il aura fini de ronger, je m'effondrerai sûrement.

Alors monsieur Rongetout va trouver le souriceau.

– Voulez-vous épouser ma fille ? demande monsieur Rongetout. C'est la plus mignonne des petites souris.

– Je connais depuis longtemps votre fille, répond le souriceau, c'est bien la plus mignonne des petites souris, et je serai très heureux de l'épouser.

Ainsi la plus mignonne des petites souris épouse le souriceau, et ils sont bien contents tous les deux. Et toutes les souris de la noce s'amusent beaucoup en se racontant les aventures de monsieur Rongetout. Et monsieur Rongetout est très satisfait puisque… sa fille épouse celui qui est plus puissant que la tour, qui est plus puissante que le vent, qui est plus puissant que le nuage, qui est plus puissant que le soleil.

# 10.

## Maman ne sait pas dire non

Jo Hoestlandt, illustrations de Jean-François Dumont

Sami a une maman tout à fait extraordinaire ! C'est une maman qui ne sait pas dire non ! Ce n'est pas extraordinaire ça ? Sami sait bien que ce n'est pas banal. Il voit et il entend qu'autour de lui tout le monde sait dire non.

Son papa, par exemple, sait dire non, mais il n'est là que tard le soir et le dimanche ; alors ça ne dérange pas beaucoup Sami. De toute façon, puisque sa maman est là, il ne demande rien à son papa. Sa grand-mère sait très bien dire non, et son grand-père aussi.

Sami a même l'impression que son grand-père ne sait dire que cela :
– Non, non, non, mon petit bonhomme !

C'est assez agaçant. Sami entend bien aussi que les autres mamans savent dire non. Mais pas la sienne. Quand Sami n'a pas envie de se lever, sa maman lui dit :
– Oui, oui, oui, mon chéri, repose-toi, reste au lit.

Si Sami ne veut pas se coucher, et déclare à sa maman :

– Laisse-moi tranquille, tu vois bien que je suis en train de jouer !

Sa maman lui répond :

– Bon d'accord, mon chéri, continue de t'amuser encore un peu.

Quand Sami veut des bonbons, comme sa maman n'est pas sourde, elle entend très bien ce qu'il demande.

– Oui, oui, oui, dit-elle, je comprends que tu en aies tellement envie mon chéri, ils ont l'air délicieux !

Et elle lui en donne un, même si c'est juste avant de dîner, ou juste après avoir fini de se brosser les dents.

Si Sami veut des petites autos, alors qu'il en a déjà une pleine caisse, un ballon rouge, parce que le sien est vert et que celui-là est bien plus beau, plein de bonshommes en plastique qu'il a vus à la télé dans les dessins animés, sa maman ouvre tout grand son porte-monnaie et hop là ! Ça y est ! C'est fait !

Le soir, quand Sami est assis devant la télé, et qu'il ronchonne :

– Je suis fatigué, mais je n'ai pas envie de dormir.

Sa maman n'insiste jamais ! Elle le laisse s'endormir devant la télé, voilà tout !

Jamais la maman de Sami ne l'oblige à ranger ses jouets quand il a fini de jouer. Il lui dit :

– Je suis fatigué, je n'ai pas envie de ranger, il y en a trop.

Et sa maman, qui est tout à fait extraordinaire, comprend que c'est vrai. Elle ne fait pas d'histoires, elle range tous les jouets toute seule, comme une grande !

Mais un jour, le papa et la maman de Sami ont un autre bébé. C'est une petite fille qui s'appelle Zouine.

– Ouin, ouin, fait Zouine du soir au matin.

– Oui, oui, répond la gentille maman qui ne sait pas dire non. J'arrive tout de suite, mon joli bébé chéri. Arrête de pleurer !

Et la maman accourt avec le biberon.

– Ouin, ouin, fait encore Zouine qui ne sait faire que cela.

– Oui, oui, répond encore la maman qui ne sait dire que cela. Je viens, je viens ma petite fille adorée !

Et elle accourt avec une couche, un jouet, un petit baiser. Mais Zouine se remet bientôt à pleurer, juste au moment où Sami appelle sa maman pour qu'elle vienne immédiatement lui mettre ses bretelles. Et la maman court de la chambre de Zouine à la chambre de Sami. Elle court de la cuisine pour préparer le biberon, aux cabinets où Sami hurle qu'on vienne lui enlever tout de suite ses bretelles, parce qu'autrement il va faire pipi dans son pantalon !

À ce jour, Sami n'avait vu que des avantages à avoir une maman qui ne savait pas dire non. Mais, avec l'arrivée de Zouine, les choses commencent à se gâter.

En effet, jusque-là, quand Sami criait à sa maman :

– Regarde, je vais sauter quatre marches !

Sa maman répondait :

– Oh oui ! bravo mon chéri.

Et elle se précipitait pour recueillir dans ses bras son jeune champion du saut dans l'escalier.

Si Sami voulait manger sa purée à la minute où elle était prête, sa maman soufflait dessus. Et s'il n'avait pas envie d'aller chercher ses pantoufles dans sa chambre, sa maman y allait vite fait, et tout était bien.

Mais tout cela, c'était avant l'arrivée de Zouine. Car il faut bien que Sami se l'avoue, Zouine est largement aussi forte que lui pour commander sa maman.

À présent, quand il crie à sa maman :

– Regarde-moi, je vais sauter quatre marches !

Sa maman, qui a Zouine dans les bras, s'exclame :

– Attention !

Mais Sami s'aplatit comme une crêpe à l'arrivée, sans que sa maman ait rien pu faire pour lui.

Quand Sami ne veut pas aller chercher ses pantoufles, parce
que sa chambre est beaucoup trop loin, sa maman, qui
est occupée à pouponner le derrière de Zouine, dit « Oui,
oui, oui » comme d'habitude. Mais elle met un temps fou
à aller chercher ces maudites pantoufles !

Et pendant ce temps-là, qui est-ce qui se gèle les doigts de pied
sur le carrelage ? Qui est-ce qui s'enrhume ?

Ce n'est pas Maman, évidemment !

Et quand il a tellement faim qu'il veut sa
purée tout de suite, sa maman continue
de la lui donner illico presto.

Mais Sami se brûle si fort la langue
qu'il pourrait faire un concours de
cracheur de flammes avec un dragon,
si un dragon acceptait le défi !

Bref, Sami trouve la vie moins
agréable qu'avant. Il ne sait pas
bien pourquoi, ni comment faire,
et cela l'embête bien !

Mais un matin, voilà que la maman de Sami ne se lève pas !
Ce n'est pas normal.

– Maman, lève-toi, demande Sami.

Mais elle ne répond rien du tout. Sami l'entend juste ronfler, comme
une marmotte de dessin animé.

– Maman, lève-toi, demande Sami un peu plus fort.

Mais toujours aucun résultat. Elle dort, elle dort, elle dort. Sami
reste là à s'embêter. Il a hâte, pour une fois, que Zouine se mette
à brailler. Ça réveillera sûrement sa maman !

D'ailleurs, il va aider sa petite sœur à se réveiller en allant secouer un peu son berceau tout en chantant un chant de guerre. Sami court voir ce que cela donne dans la chambre de sa maman.

– Oh non ! gémit Maman.

Et elle s'enfonce le nez dans son oreiller douillet.

 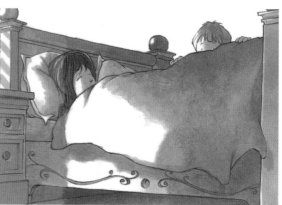

– Oh non, non, non, non ! répète-t-elle, ce n'est plus possible !

Et elle ajoute d'un ton décidé :

– Fini de vous céder pour avoir la paix !

Elle se lève, et elle roule de gros yeux de crocodile qui impressionnent tellement Zouine qu'elle s'arrête de pleurer et reste bouche bée.

– Non, non, non, ma petite fille, dit la maman. Non ! Tu n'as ni faim, ni soif, tu as déjà eu ton biberon ; et si quelqu'un a vraiment besoin d'un bon bain, c'est moi !

Et la maman de Sami s'en va dans la salle de bains. Ça alors ! Sami n'en revient pas ! Qu'est-ce qui s'est passé ? Est-ce que sa maman a changé ? Est-ce qu'elle sait vraiment dire non à présent ?

Alors, pour voir, il demande :

– Maman, je peux venir avec toi dans la baignoire ?

– Non, répond tranquillement la maman qui barbote toute seule dans son grand bain.

– Je vais prendre des bonbons dans le placard…, tente encore Sami.

– Non ! lui hurle-t-elle à travers la porte de la salle de bains.

Ça alors, plus de doute. Sa maman sait bien dire non ! Mais soudain, Sami a peur : cette maman qui dit si bien non, sait-elle encore dire oui ? Alors, pour voir, Sami demande d'une toute petite voix :

– Dis Maman, tu m'aimes encore ?

– Oui, mon chéri, répond immédiatement sa maman.

Bon. Sami est rassuré. Il a une maman qui dit oui quand il faut dire oui ; non, quand il faut dire non. Il a simplement une maman comme les autres.

# 11.

## P'tit Loup et son papa

Pascale Tortel-Brunet, illustrations de Clémentine Collinet

P'tit Loup vit avec Maman dans une maison aux volets rouges, tout en haut de la montagne.

Papa habite dans une maison aux volets bleus, tout en bas de la montagne. P'tit Loup aimerait bien voir Papa tous les jours. Mais il est trop loin !

Le samedi, Papa vient chercher P'tit Loup.

P'tit Loup dit « au revoir » à Maman. Il monte sur les skis de Papa et, tous les deux, ils glissent vers la maison aux volets bleus.

Là, le petit déjeuner les attend : du chocolat chaud, des tartines beurrées, des crêpes et de la confiture. P'tit Loup se régale.

Ensuite, P'tit Loup et son papa vont jouer dehors. Ils s'amusent comme deux fous.

Quand il faut rentrer et quitter Papa, P'tit Loup est triste. Il voudrait rester. Un soir, au moment de partir, Papa appelle :
– P'tit Loup ! Hou ! Hou ! Où es-tu ?

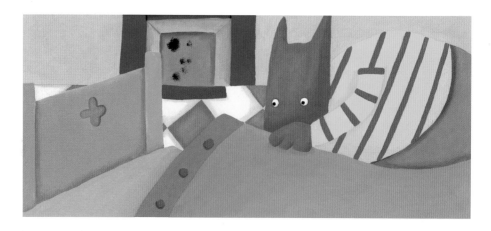

Il cherche partout son fils. Mais P'tit Loup a disparu !

Dehors il fait presque nuit. Papa est très inquiet. Soudain, il entend dans la maison : « Atchoum ! » Et P'tit Loup sort de la cheminée où il s'était caché. Il est tout sale !

– Va te laver ! dit Papa en prenant un air fâché.

Mais P'tit Loup ne bouge pas.

– Je veux rester avec toi, dit P'tit Loup en pleurant.

– Soit raisonnable, dit Papa, il est l'heure de rentrer, mon P'tit Loup adoré.

Alors P'tit Loup obéit.

Mais quand ils retournent vers la maison aux volets rouges, P'tit Loup avance en traînant les pieds. Devant la porte, Papa lui dit en l'embrassant :

– Au revoir P'tit Loup. Je t'aime très fort mon chéri !

– Moi aussi, répond P'tit Loup.

Ce soir-là, sur le chemin du retour, Papa réfléchit. Et il lui vient une idée. Il s'enferme dans sa maison et, pendant des jours, il fait des plans, coupe des planches, plante des clous. Il construit une merveilleuse machine. Elle va en haut, en bas, chez Papa, chez Maman.

Et P'tit Loup est content.

# 12.

# La véritable histoire du petit chameau blanc

Conte traditionnel de Mongolie librement adapté par Geneviève Lecourtier, illustrations de Ronan Badel

Gengis Khan, chef incontesté de toutes les tribus mongoles, rêvait de bâtir un empire sans limites. Toujours il lui fallait pousser plus loin, conquérir de nouveaux territoires. Un jour, il offrit la main d'une de ses filles à Jadiraï, le chef d'un peuple du désert de Gobi qu'il venait de vaincre. En retour, son nouveau vassal lui promit un cadeau d'une valeur inestimable : un troupeau de cent chameaux blancs.

Sur le point de livrer ses superbes bêtes, Jadiraï s'aperçut qu'il en manquait une ! Dix fois, cent fois, il les recompta pour tomber sur le même résultat. La mort dans l'âme, il fit donc quérir sa chamelle blanche, la seule qui lui restait et qui venait de mettre bas.

Après le départ de sa mère, le petit chameau pleura et cria jour et nuit, et personne ne pouvait fermer l'œil, car les cris de l'orphelin étaient déchirants.

Jadiraï ordonna alors que fussent portées dans une grande yourte quantité d'herbes appétissantes, et il y enferma le petit chameau. Mais celui-ci hurla et hurla tant et si bien que la yourte s'effondra. Libéré de sa prison, le petit chameau galopa par monts et par vaux, traversa steppes et déserts.
Mais Boldo, le gardien du troupeau, s'était lancé à sa poursuite.

Muni de son urga, une très longue perche terminée par un lacet de cuir, il réussit à le capturer.

– Je devrais donner ta misérable peau à mes chiens et ta viande fade à mes bergers, c'est tout ce que tu mérites ! gronda Boldo. Et il ramena le petit chameau jusqu'au camp des yourtes et l'attacha au cou d'un gigantesque chameau brun.

Mais le petit chameau aux longs poils soyeux continua à se lamenter. La nuit, ses pleurs empêchèrent son aîné de dormir.

– Pourquoi hurles-tu ainsi ? demanda, épuisé, le chameau brun.

Le petit animal raconta son histoire et conclut en murmurant :

– Ma mère me manque tellement !

– Ne pleure plus, supplia le grand chameau. Demain je trouverai un moyen pour te détacher, et tu pourras aller rejoindre ta mère !

L'orphelin, rassuré, se tint tranquille le reste de la nuit.

Au matin, son compagnon, ayant recouvré quelques forces, saisit la corde entre ses dents et la frotta contre un rocher jusqu'à ce qu'elle s'effiloche et se rompe.

– Va, dit-il, tu es libre maintenant.

Le petit chameau ébouriffé, tout en versant des larmes abondantes, galopa par monts et par vaux, traversa steppes et déserts.

Mais le gardien du troupeau le poursuivit encore une fois.

Quand le cheval de Boldo comprit quel gibier il recherchait, il s'arrêta net.

– J'ai vu beaucoup d'orphelins dans ma longue vie, s'exclama-t-il, mais je n'ai jamais rencontré un petit aussi malheureux… Ne compte pas sur moi pour t'aider à le capturer !

Sur ce, il se coucha sur le sable et refusa de faire un pas de plus.

Pendant que Boldo pestait et vociférait contre sa monture, le petit chameau aux longs poils soyeux courait sans cesser un instant ses lamentations.

Dans une forêt de mélèzes, il tomba nez à nez avec une louve.
– Qu'as-tu donc à hurler de la sorte ? demanda-t-elle. Tu fais fuir tout mon gibier ! Par ta faute, je n'ai rien mangé depuis trois jours et je suis affamée !

Le petit chameau raconta comment il avait été séparé de sa mère puis murmura :

– Puisqu'il en est ainsi, mange-moi ! Si tu veux commencer par le haut, voici ma tête pleine de larmes ainsi que mon cou frêle. Si tu désires commencer par le bas, voici mes petites jambes fatiguées… Si tu préfères commencer par le milieu, voici mon ventre creux qui réclame le lait de sa mère !

– J'ai déjà rencontré beaucoup d'orphelins, s'exclama la louve, mais jamais un petit tel que toi n'a croisé ma route !

Émue, elle s'éloigna sans toucher au petit chameau aux longs poils soyeux et se contenta, pour tout repas, d'une vieille carcasse de vache.

Le petit chameau poursuivit sa route. Soudain, en arrivant au pied d'une montagne, il entendit la voix de sa mère dans le lointain. Son cœur se mit à battre très fort… Il galopa de toute la vitesse de ses petites jambes dans sa direction en appelant.

La chamelle entendit les cris de son petit et tenta de couper ses liens pour le rejoindre. Mais l'un des fidèles de Gengis Khan l'emprisonna dans une immense cage. Le désir de retrouver son enfant était si intense que la femelle, rassemblant ses forces, réussit à défoncer les barreaux faits de troncs de mélèzes pour s'élancer dans la steppe.

Le petit chameau blanc aux longs poils soyeux retrouva sa mère, se frotta contre son ventre, et but à longues gorgées son lait délicieux.

Devant cette scène touchante, Gengis Khan versa une larme et ordonna que cette chamelle et son petit soient désormais protégés. Plus jamais le petit chameau blanc ne fut séparé de sa mère, et plus jamais il ne pleura !

Si vous chevauchez dans les plaines de Mongolie, vous apercevrez peut-être les silhouettes blanches comme neige d'une grande chamelle suivie de son petit. Faites alors un vœu, il se réalisera ; car ces doux fantômes sont réputés porter chance à celui qui les voit…

# 13.

## Mon papa à lunettes

Didier Dufresne, illustrations de Chantal Cazin

De toute l'école, j'étais la seule : mon papa n'avait pas de voiture !
Maman oui, mais pas Papa. Elle conduisait toujours, lui jamais…
Alors les autres ont fini par me dire :
– Ton père ne sait même pas conduire…
– Les vrais papas ont des voitures…
– Il n'a pas son permis !

Je ne savais pas ce que c'était que le permis, mais j'ai quand même pleuré. Le soir, quand je suis rentrée à la maison, j'ai couru vers Papa et je lui ai demandé :

– C'est quoi, le permis ?

Il m'a tout expliqué, que c'était un papier rose avec son nom et sa photo dessus. Il fallait avoir ça pour conduire une voiture. J'ai dit :

– Alors c'est facile ! Tu n'as qu'à en acheter un et tu y colles ta photo.

Papa m'a regardée dans les yeux :

– Marianne, je ne peux pas conduire à cause de mes lunettes…

Sur le trottoir d'en face, le voisin lavait sa voiture rouge. J'ai protesté :

– Mais monsieur Gorbier, il conduit bien, lui ! Pourtant, il a des lunettes.

Papa a secoué la tête :

– Marianne, j'y vois moins bien que monsieur Gorbier. Je ne pourrai jamais passer mon permis et conduire une voiture.

J'ai ôté ses épaisses lunettes et je les ai posées sur le bout de mon nez. Papa est devenu tout petit et tout déformé. Il s'est mis à me faire des grimaces et je lui ai vite rendu ses lunettes. J'ai regardé ses yeux avant qu'il les remette. Ils sont bleu très très clair. On ne les voit pas souvent comme ça, Papa a toujours ses lunettes sur le nez.

– Ils sont beaux, tes yeux, Papa. Et moi, tu me vois ?

Il a collé son nez sur le mien et en riant il a répondu :

– Bien sûr, Mariannou…

Il m'a installée sur ses épaules et il a couru dans le jardin. Il faisait semblant de ne pas voir les arbres. Il fonçait dessus, freinait au dernier moment et repartait à toute vitesse. Moi, je criais très fort. On s'est bien amusés.

Trois jours plus tard, la voiture de monsieur Gorbier est entrée dans la cour. Papa était dedans, mais c'était monsieur Gorbier qui conduisait. J'ai couru en demandant :

– Tu as passé ton permis, Papa ?

Il a ouvert la vitre et a répondu :
– Non, mais j'ai une surprise. Regarde derrière la voiture.

J'ai vu la remorque. Dessus, il y avait un scooter. Un superbe scooter noir avec une bande rouge sur le côté. Monsieur Gorbier a aidé Papa à le descendre dans la cour. J'ai dansé autour de l'engin en poussant des cris d'Indien :
– Youuouou ! Vive Papa ! Vive Papa !
Un scooter, c'était mille fois mieux qu'une voiture ! Comme Papa n'avait jamais conduit une telle machine, il a commencé par s'entraîner dans le jardin. Je mettais des obstacles : un ballon, des chaises, des cailloux… et Papa devait les contourner.

Il se débrouillait très bien. Le scooter pétaradait sur la pelouse et moi je faisais l'agent de police.

– Bientôt, j'irai sur la route, a-t-il dit au bout d'une semaine.

– Tu m'emmèneras ?

– Pas encore, patience, patience…

Samedi après-midi, Papa s'est enfermé dans le garage. J'ai frappé à la porte, mais il a crié :

– Interdiction d'entrer !

D'habitude, quand il bricole, c'est moi qui l'aide à retrouver les petites vis qu'il fait toujours tomber. J'ai supplié :

– Allez, Papa ! Laisse-moi entrer !

Rien à faire ! J'ai collé mon oreille contre la porte. On entendait des bruits bizarres à l'intérieur. Que pouvait-il bien faire ?

Enfin, la porte s'est ouverte.

Papa est sorti en poussant le scooter et j'ai compris. À la place du porte-bagages, il avait fixé un magnifique siège orange.

– Tu vas pouvoir m'emmener à l'école, dis?

Papa a fait non de la tête :

– Pas encore, patience, patience…

On a repris les entraînements dans le jardin mais, cette fois, j'étais dans le siège. Par-dessus son épaule, je lui criais :

– À droite! À gauche! Attention à la brouette… Freine!

Il faisait tout ce que je lui demandais.

– Encore quelques jours et on sera prêts, a-t-il annoncé.

Avant d'aller à l'école en scooter, Papa a tenu à faire plusieurs fois le voyage à pied. Il n'était pourtant pas long, le chemin de la maison à l'école, mais Papa avait décidé de tout étudier.

Il voulait connaître le parcours par cœur pour éviter les dangers. Main dans la main, on marchait sur le trottoir. Papa s'approchait tout près des panneaux, repérait les carrefours, observait les feux… Pendant une semaine encore, Papa a suivi la voiture quand Maman me conduisait à l'école. Par la vitre arrière, je lui faisais des signes. J'avais peur qu'il ne nous voie plus et qu'on le perde, mais il arrivait toujours en même temps que nous à l'école.

Je sentais que c'était pour bientôt…

Dimanche soir, il m'a enfin annoncé :

– Demain, je t'emmène à l'école en scooter, d'accord ?

– Ouiiiii !

Pour une fois, je me suis lavé les dents sans ronchonner et je n'ai rien dit pour aller me coucher. Toute la nuit, j'ai rêvé de scooter !

Lundi matin, j'ai trouvé un gros paquet sur la table de la cuisine.

– Ouvre, a dit Maman. C'est pour toi.

J'ai déchiré le papier. Dans le paquet, j'ai trouvé une boîte, et dans la boîte, un vrai casque.

– Essaie-le, a dit Papa.

Il m'allait tellement bien que je n'ai pas voulu l'enlever pour boire mon chocolat.

C'était l'heure de partir. Papa m'a attachée sur le siège orange.

Maman a vérifié trois fois que c'était bien serré. Elle m'a embrassée comme si c'était la dernière fois qu'elle me voyait et elle a dit à Papa :

– Sois prudent, Christian.

Papa a mis le moteur en route et nous sommes partis en douceur.
Papa se tenait bien droit. Il faisait très attention. Je lui disais :
– C'est bien, Papa, tu conduis comme un roi.
Il se débrouillait très bien dans la circulation. Moi, j'étais très fière,
perchée sur mon siège orange. J'aurais voulu que l'école soit loin,
très loin… pour que le voyage dure longtemps, très longtemps…
Mais l'école était là. Déjà, Papa se garait le long du trottoir et coupait
le moteur. Heureusement, nous n'étions pas très en avance. Toutes
mes copines et tous mes copains nous ont vus arriver !

Quand la maîtresse est venue ouvrir la grille
de l'école, ils nous entouraient et parlaient
tous en même temps :
– Il est chouette, le scooter…
– Tu me le prêteras, ton casque ?
– Vous êtes allés très vite ?
– Tu en as de la chance, Marianne…
Papa et moi, on n'entendait rien.
On a ôté notre casque. Papa était
en sueur. Il m'a demandé :
– Tu es contente, Marianne ?
Je me suis détachée, j'ai sauté à terre
et j'ai répondu :
– Tu sais, Papa, je n'ai pas eu peur du tout.
Je l'ai embrassé et je suis entrée dans la cour de l'école, mon
casque à la main.

En classe, ce jour-là, on n'a parlé que du scooter. On l'a même dessiné, avec Papa et moi dessus. Plein de scooters noirs et rouges sur les murs de la classe !

Moi, j'ai dessiné Papa avec des lunettes en forme de cœur…

Papa ne m'a plus jamais conduite à l'école en scooter. Il m'a expliqué que c'était trop dangereux. J'ai regardé ses grands yeux bleus et j'ai compris. Je lui ai dit à l'oreille :
– Tu sais, ça ne fait rien. Une fois c'était très bien.

Depuis, le scooter ne va plus sur la route, mais chaque fois que mes cousins viennent à la maison, Papa remet son casque. Alors, ça pétarade au fond du jardin ! Chacun à notre tour, cramponnés sur le siège orange, nous hurlons quand le scooter frôle le vieux pommier ou écrase quelques fraisiers.

# 14.

## La famille Rataton

Texte et illustrations de Romain Simon

C'est la famille Rataton : il y a monsieur Rataton, il y a madame Rataton, il y a les trois enfants Rataton.

Monsieur Rataton est en train de boire du café au lait bien sucré.

Madame Rataton range ses provisions dans l'armoire.

– Tu devrais aller me chercher quelques graines pour le dessert, dit-elle à monsieur Rataton.

– Bon, dit monsieur Rataton, j'y vais. Au revoir les enfants, au revoir Doucette.

Il prend deux petits paniers. Il embrasse tendrement madame Rataton. **Et floup !** il court dans la campagne.

Pendant ce temps-là, madame Rataton balaie les longs couloirs de sa maison, creusée dans la terre. Et, quand elle a fini son ménage, elle va promener ses enfants :

– Allons, marchez devant, dit madame Rataton, ne vous éloignez pas, et ne vous faites pas remarquer en poussant des cris.

– Oui, Maman ! Non, Maman !

De son côté, monsieur Rataton a ramassé de bonnes petites graines. Il rentre tout content. Mais le zèbre et la girafe se moquent de lui. Tous les matins, c'est comme ça.

– Qu'il est petit, qu'il est petit ! si encore il était rayé ! dit le zèbre.

– Ou s'il avait un long cou ! dit la girafe.

Monsieur Rataton est triste, avec ses petits paniers. Il se dit :
« Comme il fait bon être chez soi, sans ces grosses bêtes qui se
moquent de vous. »

En revenant de promenade avec ses enfants,
madame Rataton rencontre le singe. Il rit en les
voyant passer.
– Hi, hi ! ha, ha ! qu'ils sont petits, que c'est drôle ! hi, hi !
ha, ha !
– Tenez-vous bien mes enfants, dit madame
Rataton, ne  vous retournez pas.
Et elle pense : « Si nous sommes petits, lui
il est bien laid. »

Les Rataton se retrouvent tous chez eux.
– C'est tout de même malheureux d'être si petits, dit monsieur
Rataton.

– Nous sommes très bien ainsi, et nous
sommes beaucoup plus gros que les fourmis,
dit madame Rataton.
– Ça c'est bien vrai, dit monsieur Rataton.
– Tu sais, tu devrais creuser un couloir pour
faire une autre sortie. Comme cela, nous ne
serions pas obligés de passer devant le zèbre,
la girafe et le singe, dit madame Rataton.
– C'est une bonne idée, dit monsieur Rataton.

Il va chercher une pelle, une pioche, et il creuse la nouvelle galerie.
Les petits Rataton dansent et chantent :
– On va avoir un nouveau couloir ! tralala ! une nouvelle sortie !
tralala ! tralali !
Monsieur Rataton pioche et creuse longtemps. Il a bien chaud !
Ouf ! Il se repose un moment… Les enfants sont
curieux de savoir où va déboucher la
nouvelle sortie.

Enfin, ça y est ! Le couloir est
percé. Les Rataton mettent
leur museau dehors, leurs
moustaches tremblent de
plaisir. Mais en levant la
tête, monsieur Rataton
voit un lion !
Un vrai lion avec
une crinière
et d'énormes
pattes.

Monsieur Rataton tombe à genoux.

— Ne me mangez pas, monsieur
le Lion ! Madame Rataton serait
bien ennuyée, et mes enfants
lui donneraient trop de soucis
sans moi.

Ce lion-là est un brave lion,
ça tombe bien.

— N'ayez pas peur, dit-il,
même si j'avais faim, je
ne vous mangerais pas.

— Oh ! Merci, monsieur le
Lion ! Merci ! Si vous avez besoin de moi, ne vous gênez pas, venez
me chercher. J'habite là. Vous voyez, nous sommes voisins :
demandez monsieur Rataton.

— Entendu, dit le lion.

Il est très amusé, et il se demande comment un si petit animal
pourrait lui rendre service !

– Au revoir, monsieur le Lion. Mes enfants, dites bien au revoir à monsieur le Lion.

Madame Rataton commence à être inquiète. Elle va voir ce qui se passe.

– Regarde le lion qui s'en va, dit monsieur Rataton, c'est mon ami, il ne nous a pas fait de mal ! Un lion très poli, et qui sait parler aux bêtes plus petites que lui.

– C'est un brave lion, dit madame Rataton. Mais il faut aller à table maintenant. Lavez-vous bien les mains, mes enfants.

Et toute la famille : Papa, Maman, les trois petits Rataton, dînent et vont se coucher.

Dans la nuit, monsieur Rataton est réveillé par un long rugissement :

– Rrôâô... Rrôâô...

« C'est le lion, se dit monsieur Rataton. Il doit avoir besoin de moi. Vite, mon pantalon, mon cache-nez ! »

Monsieur Rataton court, court.

– Rrôâô… Rrrôâô… Rrôâô…

Le lion est pris dans un piège. Il est emprisonné dans les mailles d'un grand filet. Plus il se débat, plus les cordes le serrent. Il a l'air très malheureux.

– Monsieur le Lion, c'est moi… monsieur Rataton, vous savez, votre voisin, ne bougez pas, attendez un moment : je vais vous délivrer.

Monsieur Rataton court chez lui.
Il réveille madame Rataton, il réveille ses enfants.
Puis il prend deux bonnes scies. Madame Rataton emporte des provisions. Les enfants Rataton trouvent cela très drôle. Ce n'est pas souvent que l'on sort en pleine nuit.

À l'ouvrage ! Monsieur et madame Rataton scient les cordes brin à brin.

Les enfants grimpent et jouent dans le filet. Le lion essaie de remuer, il souffle très fort.

– Nous allons y arriver, monsieur le Lion, patience. Ne vous énervez pas.

– Si vous le permettez, monsieur le Lion, dit madame Rataton, nous allons nous arrêter un moment. Il faut manger et boire un peu, nous travaillerons mieux ensuite.

On mange, on boit et on se remet au travail.

Les scies vont plus vite. Les mailles craquent une à une. Les cordes ne tiennent presque plus.

Le lion se soulève... et Crâââc... tout le filet se déchire : le lion est libre, le lion gambade, les Rataton dansent de joie.

– Merci, merci chers amis.

– Ça n'est rien, monsieur le Lion, tout à votre service, au revoir.

– Mais non, mais non, dit le lion, je ne peux pas vous quitter comme ça. Regardez, le jour se lève. Montez sur mon dos, nous allons faire une promenade.

Les petits Rataton montent les premiers.

– Tenez-vous bien à ma crinière, les enfants, dit le lion.

Puis c'est au tour de monsieur Rataton. Madame Rataton monte la dernière, et s'assied à côté de monsieur Rataton.

– En route, dit le lion.

Les Rataton, tout fiers, passent devant le zèbre, la girafe et le singe.

– Ce n'est pas le moment de se moquer des Rataton, chuchote le zèbre à la girafe.

Le singe n'est pas tranquille. Le lion a l'air de lui dire :
« Ce sont mes amis maintenant. Je te conseille de ne jamais te moquer d'eux. »

C'est une belle promenade que font les Rataton sur le dos de leur ami. Ils s'en souviendront longtemps.

# 15.

# Personne ne m'aime

Geneviève Noël, illustrations de Hervé Le Goff

Hop, Mélanie bondit hors de son lit en chantant :

– Youpie la lère, aujourd'hui c'est mon anniversaire à moi !

Mais zut alors, personne ne répond. Très étonnée Mélanie crie :

– Papa, Maman, c'est mon anniversaire. Alors, je veux manger un camembert chaud et une soupe au gruyère.

Mais ça alors, Papa et Maman Souris ne sont pas dans la cuisine.
Ils ont oublié Mélanie.

Vexée, Mélanie grogne :

– C'est mon anniversaire. Mamie, raconte-moi une belle histoire.

Mais Mamie ne se balance pas dans son fauteuil à bascule. Elle est
partie se promener. Elle a oublié Mélanie.

Furieuse, Mélanie galope jusqu'au jardin.

– Papi, c'est mon anniversaire. Viens jouer à cache-cache avec moi.
Papi ne répond pas. Il est parti acheter des fromages au marché.
Il a oublié Mélanie. Très énervée, Mélanie va sonner à la porte de
Camomille, sa meilleure copine.

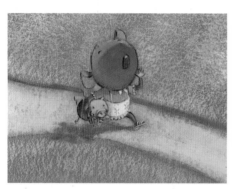 

Mais Camomille est partie jouer avec une autre copine. Elle a oublié
Mélanie.

Craaac, le cœur de Mélanie se casse en quatre. Elle rentre chez elle
en hurlant :

– Ouin in in, personne ne m'aime ! Je suis une petite souris
abandonnée.

**Bing,** Mélanie donne un coup de pied dans la porte de sa maison. La porte s'ouvre. Et Mélanie se trouve nez à nez avec son papa, sa maman, sa mamie, son papi et sa copine Camomille. Ils ont des cadeaux plein les mains, de l'amour plein les yeux. Et ils chantent :
– Bon anniversaire Mélanie !